つぶやき三四郎

数の語呂合わせ遊び II

1000〜9999

水本志郎

Mizumoto
Shiro

講談社エディトリアル

数字と友だちになろう！

040841420　04071402!
ワスレヤスイスージヲ　ワスレナイヨーニ

忘れやすい数字を　忘れないように！

◆◆◆

物忘れ防止に、語呂合わせ。

考えるから、脳がイキイキ。

楽しいから、心もイキイキ。

まじめさ、おかしさ、おもしろさを
追究して語呂合わせ

つぶやき三四郎

『数の語呂合わせ遊び』の第二弾!

　今回は、語呂合わせだけではなく、そのコメントでも遊んでみました。

　大切なのは、おもしろく! 楽しく!

＼マジメサ／　＼オカシサ／　＼オモシロサ／

　この3つを追究していくと、語呂合わせはもっと楽しい。

　ここで紹介しているのは、つぶやき三四郎独自の感覚で数字を読んだ語呂合わせです。

　「?」「コレっておかしくない?」と思われるところもあるでしょう。でも、語彙力も感覚もみんなそれぞれ違うのですから、自分がわかれば、それでいい。あなた流の数字の捉え方で、あなた流の語呂合わせをしてください。

　知恵をしぼって脳を活性! いつでもどこでもできるのが、数の語呂合わせ遊びです。

水本志郎

語呂合わせ遊び　数字読み取りルール

数字は、日本語での読み方だけではなく、英語や中国語での読み方（発音）も使います。
また、数字の形から連想する物、文字の読み方（発音）を使っているものもあります。

例）1＝棒にも見えるので「ボウ」。ローマ数字Ⅰは上下に横棒があるその形から「エ」。
（他にも、各国の言語での読み方をプラスするなど、自分なりのルールで語呂合わせをするのもOKです）

基本の読み方

0 ＝ レイ　ゼロ　ワ（ハ）　ワン　マル

1 ＝ イチ　ヒ　ワン　イ　ボウ　エ

2 ＝ ニ　フ　ツウ　アァ

3 ＝ サン　ミ　スリー

4 ＝ ヨン（ヨ）　シ　フォー　スー

5 ＝ ゴ　イツ　ファイブ　ゥウー　ル

6 ＝ ロク　ム　シックス　リゥ

7 ＝ シチ　ナナ（ナ）　セブン　チー

8 ＝ ハチ　ヤ　エイト　バー

9 ＝ キュウ　ク　ココノツ（ココ）　ナイン　ジウ

10 ＝ ジュウ　トウ（ト）　トオ　テン

トンチが得意な
一休さんに
語呂合わせで、
いざ、勝負！

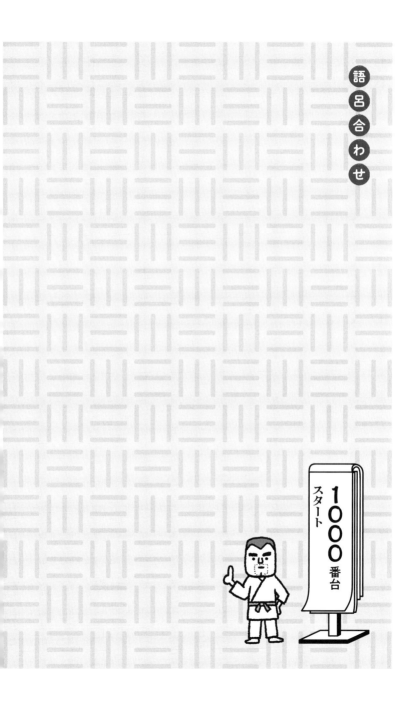

語呂合わせ

スタート
1000番台

1000
センだい

仙台
※「だい」をプラスして単語に。
　覚えやすくするアイデア。

1001
トオーイ

遠い

1002
トウニ

とうに
（とっくに）完了!

1003
トウサン

頼りになるのは?
父さん

1003
トウミ

唐箕
脱穀物に混入しているもみ殻や
塵などを風力で選別する農機具

1003
トオサン

通さん!
交通規制!

1004
トマルヨ

止まるよ

1009
ジュウオク

十億

使い切れまい、少しくれ!

1010
トウトウ

とうとう

やり終えた! バンザイ!

1011
トイイチ

問 1

1012、1013、1014……1010
問2、問3、問4……問10
全て解答。でもまちがい6割く
らい?　もっと学習しておけば
よかった!

1010
トイレ

トイレ

有名なメーカーといえば……
やっぱりTO●O

1012
イチハイツ

市はいつ？

朝市の日は早起きしよう！

1012
トーイツ

ドイツ東西統一！

歴史的瞬間！

1017
トオイナー

遠いなぁ〜

田舎道、砂利道！

1021
トオブエ

遠笛

家畜集め！

1022
ジュウフーフ

10（組の）夫婦

1023
トウジサンさい

当時3歳

当時のことはあまり覚えていない！ けれど？ 親がムービーで録画してくれていた！

1025
トウジコ
当事故

1028
トウフヤ
豆腐屋

1031
トウザイ
「東西、東西」
歌舞伎での口上前の掛け声

1032
トオサニ
遠さに
参りました!

1034
トーサヨ
遠さよ!
来てみると思っていた
以上に遠かった

1035
トウミゴと
塔、見事!
美しい日本建築!

父さん5人
授業参観

1035
トウサンゴにん

1036
トウミロ
塔見ろ！
観光バスガイド

1038
トウサンハチにん
父さん8人
漁に出航！
帰港は来年！

1039
トウサク
盗作

1040
トウヨー
東洋

1040
テンシのワ
天使の輪
髪がきれい

1045
トーヨコせん
東横線
東急電鉄の路線、東急東横線

1046
トーシロ

素 人

業界人の逆さ言葉

1048
トウシバ

東 芝

1050
トーコー

登 校

学校に行こう!

1050
トーゴー

統 合

1051
トウげコエ

峠越え

あとは下り道!

1059
トウゴク

投 獄

1060
トーロー

灯 籠

灯りをともすのは割と大変！

1061
トロイ

「とろい」

と言わないで

1064
トウさんムシ

父さん無視

成人前の娘！

1065
ジュウがつでムコー

10月で無効

保険の継続どうしよう……

1065
ジュウムゴい

銃、むごい

戦争反対！

15

1066
ドームで**ロッ**ぽん

> **ドームで6本**
>
> 相手打席はヒットなし！

1071
イレナイで

> **入れないで**
>
> 野良猫

1071
トウナイ

> **島内** 一周に
>
> 遊歩道

1072
ドーナツ

ドーナツ

1073
イワと**ナミ**

岩 と 波

1074
トーナシ

糖無し コーヒー
（無糖）

1089
トウヤク

投 薬

薬の取扱い注意！

1090
トーキュウ

等 級

1092
トークニ

遠くに！
旅行！

1094
トクヨー

特養 ホーム

1095
トウキュウゴ

投球後
盗塁！ → セーフ！

1101
イイワイ

いいわい!
(もういいですよ)

1102
イイオニ

いい 鬼
たまにはいるかも?

1107
イイオーナー

良いオーナー
店は大繁盛!

1111
オールイチ

オール1
喜ぶべきか?

1114
イイイシ

いい 石

1115
イイイゴ

いい囲碁!
さすが名人戦!

1118
イエ は イヤ

家はイヤ!
叱られてばかりだから!

1122
イイフーフ

いい夫婦!
うらやましい!

1123
イイジーサン

いい爺さん

1124
イイフシ

いい節 歌上手
のど自慢で鐘3つ

1125
イエジコ

家事故!
車突入! 90歳の旦那運転!

1129
イイニク

いい肉!
黒毛和牛

1129
イイフク

いい服!
おしゃれだな〜

1131
エイサイ

英才 教育!
大人になったら凡人だった!

1139
イイサク

良い策

誰か考えて

1146
イイシロ

良い城
中世貴族の住まい

1155
イエゴゴ

家午後

在宅しています!

1156
イイコロ

いい頃

頃合いを見て実行しよう!

1159
エイコク

英国

1160
イイムレ

良い群れ
羊の群れ

1162
イエブジ

家無事
災害から免れた!

1167
イイムナげ

いい胸毛
たくましい男!

1170
イエナレ

家慣れ
引っ越してきたばかり!
住めば都!

1171
イエナイ

言えない!
言っても叱られるから

1173
イイナミ

いい波

サーフィン！

1178
イイナヤ

いい納屋

防火に優れた漆喰壁

1179
イエナク

家鳴く

積雪の重みで柱が
キシキシきしむ音

1182
イイハジ

いい恥

聞くは一時の恥、
聞かぬは一生の恥！

1184
イイハシ

いい橋

イギリス「ロンドン橋」、アメリカ
「ゴールデン・ゲート・ブリッジ」

1188
イイハハ

いい母!

やさしい!

1190
イイクレ

良い暮れ

良い一年だった!

1192
イイクジ

良いくじ!

おみくじ大吉だったから
ジャンボ宝くじ買おうか?

1197
イイクナん

良い苦難

乗り切れば未来は
明るい!

1200
イツレイワ

いつ令和?

今は令和何年?

1201
イーニオイ

いい匂い

バラが満開!

1212
イチニイチニ

イチニ！ イチニ！
（掛け声）

1214
イぇニイシ

家に医師

誰が具合悪いの?

1216
イぇニイロ

家に居ろ!

留守番頼む!

1217
イぇニイナ

家に居な!

母ちゃん安心しておつかい!

1223
イチフジサン

一（は）富士山!

日本一の山

1226
イチニフロ

一に風呂!

夕食は風呂の後でゆっくりと

1236
ヒフミロ

皮膚診ろ!
赤くなってるよ!

1238
イぇニミツバチ

家に蜜蜂
庭の花の蜜がお目当て

1241
イニシエ

古(いにしえ)の都
といえば、京都!

1243
ワンニシミ

椀にシミ
汚れた椀は猫のえさ用に!

1251
イぇニコイ

家に来い!
初孫節句で家に鯉のぼり

1259
ジュウニまんゴク

12万石
大名の石高

1269

イツムク

いつ剝く?

このりんご食べごろだよ

1271

イぇニナイもの

家に無いもの

お金→貧乏暮らし

1278

ヒツウナハチ

悲痛な蜂

蜂の巣退治で大騒ぎ

1280

イぇニバレ

家にばれ(た)?

隠し事!

1281

ジュウニハイ

12敗!

まだまだ練習が足りない!

1283

イニヤサしい

胃にやさしい

お粥を食べてゆっくり休んで

1284
イ ぇ ニ ハ シ

家に箸 忘れた!

弁当どうやって食べる?

1287
イ ぇ ニ ハ ナ

家 に 花

生け花でお客様をおもてなし!

1289
ヒ ニ ヤ ク

日に焼く

日焼け止めを塗らないと
危険!

1289
イチニヤキュウ

一に野球

二に野球、三、四がなくて
五に野球

1289
ジュウニハク

12泊

ちょっと長い旅行中!

1291
イぃニクイ

言いにくい

叱られそうだから？
お母さんにだけなら話せる

1295
イチニキュウコー

市に急行

今日は大特価！

1295
イニクル

胃にくる

刺激が強い料理は苦手

1296
ヒニクロ

日に黒

夏の日焼け！

1297
イチニクナん

市に苦難

台風で屋根が吹き飛ぶ

1298
ヒニクヤ

皮肉屋

そんなのだと嫌われちゃうよ

1300
イサオハ

勇夫は?

まだ帰ってないの?

1312
イサイニ

委細に

話して、叱らないから

1313
イザイザ

いざいざ!

出かけるか? 準備OK

1324
ヒミツヨ

秘密よ

誰にも言わないでね

1331
イチサンザイ

市散財

市場でお金を使いすぎた!

1336
ヒザスリムく

膝すりむく

痛い! お薬塗って!

1337
エサミナ

餌見な

舟釣りで餌を食われて、
まだ一匹も釣れていない

1339
ワンサンサンキュー

ワンさん産休

おめでとう!

1340
ヒザシゼロ

陽射しゼロ

今日は曇りのち雨の予報

1347
イーミシナ

いい三品

選んでよ!

1349
イミジク

いみじく

いみじくもありがたいお言葉

1350
ヒミコハ

卑弥呼は?

邪馬台国の真相はいかに?

1351
イザコイ

いざ来い!

勝負だ!

1352
イーサンゴニ

いい産後に!

母子ともに健康!

1358
イーザコバ

いい雑魚場(ざこば)

小魚など大衆魚を扱う魚市場

1359
ボーサンイツクる

坊さんいつ来る?

1371
イチミナイ

一味(唐辛子)無い

買ってきて

1373
イザナミ

イザナミノミコト

1374
イミナシ

意味無し!

1376
ボーサンナム

坊さん南無

ありがたいお経をあげてくだ
さい

1379
イミナク

意味なく

泣きたくなった!

1379
ヒザナク

膝鳴く

ガクガクして
もう歩けない!

1379
エサナク

餌無く……

食われてばかり
魚屋に寄って帰宅!

1382
ジュウサンパツ

13 発

ギャグ13連発!

1385 イザハコ

いざ箱!

みかん、りんごを箱詰め

1390 エサクレ

餌くれ!

奈良公園の鹿たち

1394 イザクヨー

いざ供養!

久しぶりに墓参り

1395 イーサキュウコー

いいさ休校!

授業がなくなってラッキー!

1398 イッサクヤ

一昨夜　良い夢!

一富士、二鷹、三茄子

1400
イヨオー

いよぉ!
しばらくだな

1401
イーヨウイ

いい用意
準備万全!

1402
イヨーニ

異様に!
いつもとは違う空気で
切迫している様子!

1414
イヨイヨ

いよいよ!
取り掛かるか?

1414
ヒシヒシ

ひしひし
伝わるその感動

1419
イシイク

医師行く
往診に!

1426
イシブロ

石風呂

1431
イシサンジュウイッこ

石 31 個
……99個　城攻め防備。
石落としに用意した石の数！

1433
ボウヨミサ

棒読みさ!
抑揚をつけて音読の練習！

1452
ヒヨコニ

ひよこに
餌あげた?

1453
イーヨゴミ

いーよ、ゴミ
捨てるから

1456
イシコロ

石ころ

1458
イシコヤ

石 小 屋

1462
イシムツウ

意思無通

意思疎通ができない！
困った！

1474
イシナシ

意思なし

自分で考えて行動しよう

1474
ボウシナシ

帽子無し

1492
イヨ の クニ

伊 予 国

現在の愛媛県

1493
イシグミ

石 組 み

城壁の見事な石組み

1500
イコオー

行こおー！
山野散策

1502
イッコウニ

いっこうに（不動）

動かざること山の如し！

1509
ワンコハクウ

わんこ（そば）は
食う！

1512
イコイニ

憩いに散策！

1514
イーゴイシ

いい碁石

打つのも楽しい！

1515
イコぅイコぅ

行こう！行こう！

1529
ボウゴフク

防 護 服

消防士さんありがとう！

1531
ジュウゴサイ

15歳

1534
イゴサシ

囲碁差し
打ち石

1539
ボウゴサク

防護冊

1541
イゴヨイ

以後良い!

1556
イーココロ

いい心
思いやりのある人

1564
イーゴロクヨ

いい語録よ!
参考にしてみて!

1564
イゴムシ

以後無視!

なんか怒ってるのかなぁ

1574
イゴナシ に

以後なしに

しよう! 賭け事!

1584
ジュウゴヤヨ

十五夜よ!

美しい月!

1590
イチゴクレ

苺くれ!

僕にも分けて

1591
イチゴクイ な

苺食いな!

甘くておいしいよ!

1592
ヒコクニ ん

被告人

裁判では罪を認めて

1616
イロイロ

色々

1617
ヒロイナ

広いなー!

1632
イロミニ

色味に

何を入れよう?　今日のお弁当

1634
イチムサシ

一武蔵

武蔵が1人

1639
ヒロクサク

広く咲く

北海道富良野のラベンダー畑

1642
イムシツ

医務室

調子が悪いので休ませて

1642
イツムシニ
いつ虫に
刺されたの?

1646
ヒ の ムシロ
火のむしろ!
「針」じゃないの?

1650
ワンムコー
湾の向こう

1651
イロコイ
色恋
あぁ、青春!

1653
イームコサン
いい婿さん!
娘をどうぞよろしく!

1662
ヒムロニ
氷室に
氷と雪の冷蔵庫「氷室」

1674
イロナシ

色無し
モノクロの世界

1679
イチローナク

イチロー泣く
男泣き

1680
ジュウロクヤハ

十六夜は?

1683
ヒロクヤミ

広く闇

1689
イロりでヤク

囲炉裏で焼く
川魚はうまい!

1693
イロクサ

色草

1710
ワンナイト

ワンナイト

イベント！ 一夜限りの
お祭りだ！

1711
イナイヒト

居ない人

どこへ行った?

1713
イナイサ

居ないさ!

どこへ行った?

1714
イナイシ

居ないし

どこへ行った?

1717
イーナイーナ

いいな! いいな!

うらやましい!

1718
イナイヤ

居ないや
どこへ行った?

1719
ヒナイク

ひな行く
かわいいカルガモの行列

1726
イーナフロ

いいな! 風呂
さっぱりしたい!

1730
イナザワ

稲 沢 (市)
愛知県北西部にある都市

1731
イナサイ

居なさい!
留守頼む!

1732
ヒトナミニ

人並みに
食べていけます、なんとか

1739
イナサク

稲作

1746
イーナシロ

いいな! 城!

一度住んでみたい!

1750
イナゴハ

蝗(イナゴ)は?

1753
イナゴミ

稲ゴミ

もみがら

1780
イナバウァー

イナバウアー

で金メダル

1789
イナヤク

稲 焼く

野焼き

1806 ボーヤオムツ

坊やオムツ
替えようか？

1808 イバレバ

威張れば
みんな遠ざかっていくよ

1818 イヤイヤ

嫌々 ならば
来なくてもいいよ

1819 イチバイク

市場行く
何か買ってくるものある？

1832 ヒヤミズ

冷や水
今日は暑いねー、
冷たい水ちょうだい！

1835 ヒエイトザンイツ

比叡登山いつ？
比叡山延暦寺に参詣

1871
イヤナワン

いやな椀

このお椀は好きじゃない

1879
イヤナク

いや泣く

泣いてちゃわからないよ

1884
イヤハシ

祖谷橋

徳島県にある観光名所の吊り橋

1888
イヤハヤ

いやはや

弁解のしようがない

1889
イチハヤク

いち早く

駆けつけた

1893
ワンパクサン

わんぱくさん

元気がいいね！

1912
イクエニも

幾重にも
重なる美しい花

1918
ヒクイヤ

低い屋
屋根の低い建物

1922
イッキュウフーフ

一級夫婦
ベストカップル！

1930
イクサハ

戦 は？

1932
イッキュウサンニ

一休さんに
とんちで勝負

1938
イクサバ

戦場（いくさば）

1946
イックヨム

一句詠む

ここで一句！

1955
イクゴゴ

行く午後

午後から遊びに行きます

1974
イクナヨ

行くなよ

無理して行かなくても大丈夫

1981
イクバイ

行くばい

方言

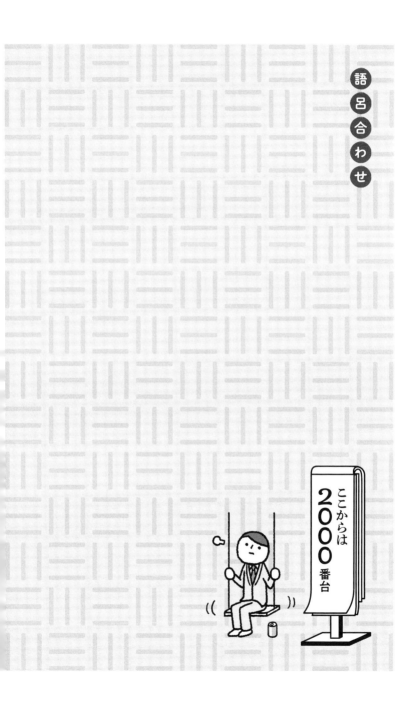

語呂合わせ

ここからは
2000番台

2010
ニワトリ

にわとり

2014
ニワイシ

庭 石

うまく配置して枯山水完成!

2064
ニワにムシ

庭 に 虫

ミミズ → 土壌改良してくれて
ありがとう!

2074
ジレイナシ

事例無し

今後の対策を話し合おう!

2089
ニワハク

庭掃く

毎朝の日課

2089
ニジュッパク

二十泊!

ヨーロッパ周遊

2094
ニジュウクシ

二重串

蒲焼き串刺し。
食欲をそそる香り

2129
フエフク

笛吹く 少年

マネの名画

2130
ニイサンハ

兄さんは?

どこへ行ったの?

2132
ニイサンニ

兄さんに

相談があるの

2149
ニィヨーク

ニューヨーク

いつか行ってみたい

2150
フエゴーレイ

笛号令

ピーッというのが合図

杖なしで歩く
健脚な老人

2256
ニジュウニゴム

二重にゴム
しておいたよ!

2312
フザイニ

不在に
します

2320
ツミニゼロ

積荷ゼロ
配達完了しました!

2340
フミシワ

踏みシワ
私の服を踏まないで!

2356
ツミコム

積み込む
荷物はどこへ?
終の住処へ引っ越し

2382
ツミとバツ

『罪と罰』
ドストエフスキーの名作

2431
フジサンイチばん

富士山一番!

日本一の山!

2469
ニシムク

西向く　さむらい

2、4、6、9、11月は
30日まで!

2549
ツゴーヨク

都合よく

バスが来たので遅刻しなくて
済んだ

2624
フローフシ

不老不死

2626
フムフム

ふむふむ

よくわかりました!

2672
フロクナニ

付録(は)何?

今月は何かな、楽しみだ

2741
フナヨイ

舟酔い

乗る前に酔い止めを
飲みましょう

2758
フナゴヤ

舟小屋

魚具の納屋

2828
ニヤニヤ

思わず **ニヤニヤ**

笑ってしまう

2950
フッコー

復興!

震災に負けず見事に復興

2951
フクコイ

福来い!

神様お願い!

2971
ニクナイ

肉ない

焼きそばには肉を入れて!

2983
ニクヤサン

肉屋さん

今日の特売は何かな?

2987
ニクバナれ

肉離れ

痛い!
日頃から筋肉を鍛えておこう!

2989
ニクハク

肉迫

(きっ抗している)

2992
ニクいクニ

憎い国

戦争反対!
憎しみ合うことのない世界に

2993
ニククミ

肉組み

ラグビーのスクラム

ここからは
3000番台

3001
サワハイチジ

沢は1時
到着予定!

3012
ミレーニ

(画家の)ミレーに!

似ているね、この絵

3013
ミレーサ

(画家の)ミレーさ!

一番好きな画家!

3014
ミレーヨ

(画家の)ミレーよ!

やっぱり素晴らしい!

3024
サワニシ

沢 西
沢の西側

3030
ザワザワ

ざわざわ
ざわついている!

3039
サワにサク

沢に咲く

白ユリ

3040
サワにヨレ

沢に寄れ!

記念写真!

3078
サレナヤむ

去れ! 悩む

けど、仕方がない

3087
サワハナ

沢 花

岩に咲く花

3101
サイワイ

幸い!

ラッキー!

3152
サイゴニ

最後に!

言っておきたいことがある

3153
サイゴサ

最後さ!

3156
サイコロ

さいころ

3160
サイムハ

債務は？

ありますか?

3162
サイブジ

妻無事!

3164
サイムシ

妻無視!

3174
ザイナシ

財 なし

貧しいけれど明るく生きよう!

3175
サイナラ

さいなら!
また会おう!

3176
サイナム

苛 む
いじめるのは絶対にだめ!

3179
サイナク

オ無く!
夢をあきらめる……

3181
サイバイ

栽 培
庭に何を植えようかな?

3182
サイハツ

再 発

3184
サイバシ

菜 箸

3190
サイクハ

細工は？

何か仕掛けた？

3196
サイクム

再 組 む

もう一度組んで、カムバック！

3204
サンニュウシ

参入し

役員派遣！

3215
ミニイコ

見に行こ！

3219
ミニイク

見に行く

どんなものが
あるのか楽しみ！

3253
サンジゴサン

惨事誤算

3310
サンサント

燦々と

光輝く

3310
ササイレ

笹入れ

3311
ミミイイ

耳いい

よく聴こえます

3318
サンザンイヤ

散々いや

もうこんな目には
合いたくない!

3323
ミミフサ ぐ

耳ふさぐ

3324
サいサンフシん

再々普請!
困ったもんだ

3340
ミミヨレ

耳寄れ
内緒だよ!

3341
サミシイ

寂しい

3342
ミミヨーニ

耳用に（防具）
ヘルメット

3343
ミミヨミ

耳読み
読み聞かせ

3344
ミミヨシ

耳良し!
よく聴こえる!

3345
ササシゴと

笹仕事

竹細工

3347
サンジュウサンシナ

三十三品

3353
ササゴミ

笹ゴミ

3355
サンサンゴーゴー

三々五々

ここに集合!

3364
ササムシ

笹蒸し

香りを楽しむ笹料理

3368
ササムヤみ

笹むやみ

に生えてくる

3389
ササヤク
ささやく

大きな声では言えないから

3390
ササクレ
ささくれ

冬の乾燥、肌荒れに注意!

3396
ササクム
笹 組 む

竹細工

3409
ミシりオク
見知りおく

お見知りおきを!

3410
サシイレ
おつかれさまです!

差し入れ をどうぞ!

3421
ミヨニイ きる
三世に生きる

過去・現在・未来に生きる人生

3430
サシミハ
刺身は
いかがですか?

3444
ミヨシシ
三 次 市
広島県北部にある都市

3450
サシコハ
刺し子は
青森の工芸品

3453
サッシにゴミ
サッシにゴミ
がたまってるよ

3456
サシゴロ
差し頃
そばを茹でるときに差し水を

3482
サシバニ

差し歯に

3483
サシハサむ

差しはさむ

苦言！

3487
サシバナ

挿し花（生け花）

3501
ミコハ1人

巫女は一人

3510
ミゴト

見事！

3510
サンゴトウ

珊瑚島

珊瑚礁が水面に現れて
島となっているもの

3519
ミツゴイク

三つ子行く

仲良くどこへ？

3540
サンゴシオ

珊瑚礁

3541
サンゴヨイ

産後良い

母子ともに健康！

3541
サイツヨイ

妻強い

家庭円満の秘訣

3594
ミッコクシや

密告者

誰？

3560
ミゴロハ

見頃は?

満開の花を見に行こう!

3561
ミゴロイチ がつ

見頃1月
水仙

3562
ミゴロニ がつ

見頃2月
梅

3563
ミゴロサン がつ

見頃3月
桜

3564
ミゴロシ がつ

見頃4月
桃

3565
ミゴロゴがつ

見頃5月
しょうぶ

3566
ミゴロロクがつ

見頃6月
あじさい

3567
ミゴロシチがつ

見頃7月
芙蓉

3568
ミゴロハチがつ

見頃8月
ひまわり

3569
ミゴロクがつ

見頃9月
すすき

3594
サンゴクシ

『三国志』

3610
サムイハ

寒いは

どこ?

3614
サムイヨ

寒いよ

3615
ミロイチゴ

見ろ、苺

おいしそう

3635
ミロサンゴ

見ろ、珊瑚

美しい!

3641
サブローヨイ

三郎良い

正直者で人気者

3693
ミロクサン

弥勒さん

弥勒菩薩

3730
ミナサンハ

皆さんは

元気ですか?

3751
ミナコイ

皆来い!

3795
ミナキュウゴ

皆救護

したのでもう安心

3871
サバナイ

鯖ない?

魚屋さんに聞いてみて

3919
サキュウイク

砂丘行く

鳥取イチの観光名所

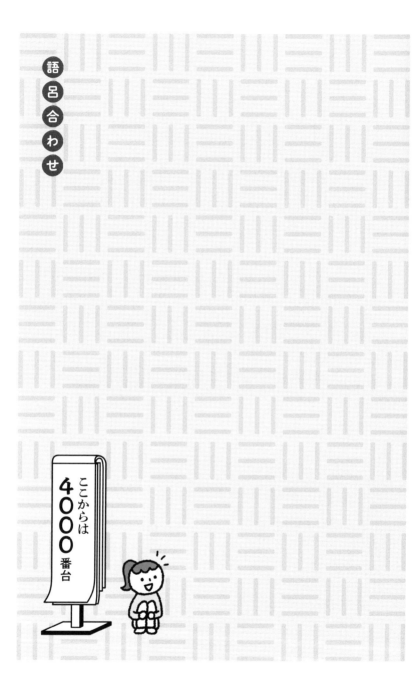

語呂合わせ

ここからは
4000番台

4000
シオハゼロ

塩はゼロ

塩分控えて健康に！

4030
ヨワミハ

弱みは（見せない）

だって怒られるから

4031
シオサイ

『潮騒』

三島由紀夫の名作

4040
シワシワ

シワシワ に
なった母さん

4064
ヨワムシ

弱虫

もっと強くならないと世の中は
厳しいから

4071
ヨレナイ

寄れない

今日は用事があるから

4074
シワナシ

シワなし!

いくつになっても若々しく

4101
ヨイレイは

良い例は

見習いましょう

4110
シート

シート　ベルトは

ちゃんとしてる?

4120
シーツハ

シーツは　干した?

梅雨の晴れ間の洗濯

4150
ヨイコハ

良い子は

真似しないでください

4154
ヨイゴシ

宵越し の金は
持たない主義

4180
ヨイハゼロ ほん

良い歯0本
総入れ歯

4281
ヨツんバイ

四つん這い
バッタリ倒れた

4291
シニクイ

しにくい
やりにくい

4308
ヨサンオーバー

予算オーバー

理想を現実するのはキビシイ

4310
ヨミトり

読み取り

4325
シミズコー

清水港

日本三大美港の1つ！

4351
ヨサコイ

よさこい祭り!

高知のお祭り

4371
シサンナイ

資産ない！

その日暮らしも気軽だね

4374
シミナシ

シミなし！

いつまでも若々しく

4392
ヨミのクニ

黄泉の国

死者の世界ってどんなところ？

4405
シヨーゴ

使 用 後

4429
シシニク

しし肉

うまい！ ぼたん鍋

4433
シシザサン

しし座さん

あなたは何座？ 星座占い

4453
ヨシコサン

ヨシコさん

4510
シゴト

仕 事
（行きたくないなー）

サボリ癖はダメ！

4570
シコナハ

シコ名は？

大関昇格！
新しいシコ名をもらう

4592
シコクニ
四国に（帰省）

おみやげはうどんかみかん

4649
ヨロシク
よろしく！

語呂合わせの定番！

4701
ヨナレヒと
世慣れ人

4704
ヨナオシ
世直し

改革！

4712
シナイニ
市内に

住んでいます

4714
シナイヨ
しないよ

そんな悪いこと

しな、囲碁

頭の体操！

4715
シナイゴ

4731
シナサイ

しなさい!

4747
ヨナヨナ

夜な夜な
聞かされる大いびき

4747
シナシナ

しなしな せずに
しっかり立って!

4790
シナクレ

品くれ!
買うから

4809
シヤオーきク

視野大きく

4871
シヤナイ

しゃーない
「仕方ない」の関西弁

4874
ヨツバナシ
四つ葉なし!
残念!

4894
ヨンハクシ
四泊し
それから観光

4919
ヨクイク
よく行く 喫茶店
コロナで閉店

4931
ヨクミエる
よく見える!
拡大鏡は必需品

4942
ヨクシツ
浴室
風呂そうじは父さん担当

4946
ヨクシロ
良くしろ!

4949
シクシク

シクシク

泣いてちゃわからない

4962
ヨクブジ

よく無事（で!）

4970
ヨクナレ

良くなれ!

立ち直れ!

4971
ヨクナイ

良くない!

4974
ヨクナシ

欲なし!

4979
ヨクナク

よく泣く

泣き虫

4981
シゅクハイ
祝 杯

めでたいので乾杯しよう!

4983
ヨクバりサン
欲張りさん

4989
シクハック
四苦八苦

4990
フォーククレ
フォークくれ

パスタを食べるのに箸は合わ
ない

ここからは
5000番台

5001 ゴーレイ

号令

イチニーサン!

5003 コーサン

降参!

参りました!

5006 コーロ

航路

憧れのハワイ♪

5007 コーナー

コーナー

総菜コーナーはどこ?

5008 コーヤ

荒野

5010 ゴートー

強盗

絶対にしちゃダメ!

5031
コーサイ

交 際

よろしくお願いします

5041
コレヨイ

これ良い

使ってみて!

5046
コーシロ

こーしろ
この通りにしなさい

5050
ゴーゴー

ゴーゴー!

その調子!

5071
コレナイ

来れない

残念! また今度

5072
コレナニ

これなぁーに?

5091
コレクイ

これ食い
お腹空いてない?

5103
イツトーサン

いつ倒産 したの?
コロナの影響

5116
コイイロ

濃い色

5117
コイイーナ

恋いーなぁ
ああ、青春!

5139
コイサク

恋咲く
18歳!

5140
コイシハ
小石は？
拾え！ グラウンドへ

5143
コイシサ
恋しさ
キュン！

5148
コイシワ
濃いしわ
深く刻まれたしわ

5149
コイシク
恋しく なった！

5151
コイコイ
来い来い！
早く！

5165
コイローゴ
来い！ 老後
老後　隠居生活

5194
コイクヨー

鯉 供 養

5217
ゴツイナ

ごついな!

さすが関取!

5240
コニヨレ

子に寄れ

親身になってあげよう!

5241
コニヨイ

子に良い

そうと聞けば欲しくなる

5251
ゴジ に コイ

5時に来い!

5256
ゴジゴロ

5 時 頃

5258
イズコヤ

何処や

5279
イツニナク

いつになく
大人しいね、今日は

5291
コニクイ

小憎い

5298
ゴフクヤ

呉服屋

5300
ゴミハゼロ

ゴミはゼロ
きれい好き

5310
ゴミイレ

ゴミ入れ
ゴミ箱

5313
ゴサイサン

後妻さん

5318
コミイヤ

混みいや！

ラッシュ時間は避けて出社

5371
コサナイ

越さない？

5374
ゴサナシ

誤差なし！

見事な仕事

5384
ゴミヤシき

ゴミ屋敷

近所の迷惑考えず大迷惑！

5400
ゴヨー

御 用！

腰いい！
体調良好！

5411
コシイイ

5412
コヨイニ

今宵に!

5430
コヨミハ

暦は?

今日は何の日?

5441
コシヨイ

腰 良い

腰痛がなくなった

5454
ゴシゴシ

ゴシゴシ

ジーパン洗う!

5479
ゴヨーナク

御用無く

自由の身になった!

5512
ゴゴイチニ

午後イチに

待ってます!

5532 ゴゴサンジ

午後3時

5574 ゴゴナシ

午後（の仕事）なし!

5641 コロヨイ

頃良い

もういい頃だ!

5656 ゴロゴロ

ゴロゴロ
（雷が鳴り出した!）

早く家に帰ろう!

5692 ゴムクツ

ゴム靴

雨の日にはゴム靴をはく

5710 コナイワ

来ないわ!

5719
コーナーにイク

コーナーに行く

5757
コナゴナ

粉々

5910
コクトー

黒糖

5931
コクサイ

国際

5934
コクサンシ

国蚕糸

国産の蚕の繭から
とった糸

5946
イツクシム

慈しむ

心を忘れずに

5950
コクゴハ

国語は（好き?）

数学の方がもっと好き！

5960
ゴクロオ

ご苦労！

おつかれさん！

5971
コクナイ

国 内

5974
イツクナヨ

居つくなよ

家に帰りなさい

5982
コクハツ

告 発

5989
コクハク

告 白

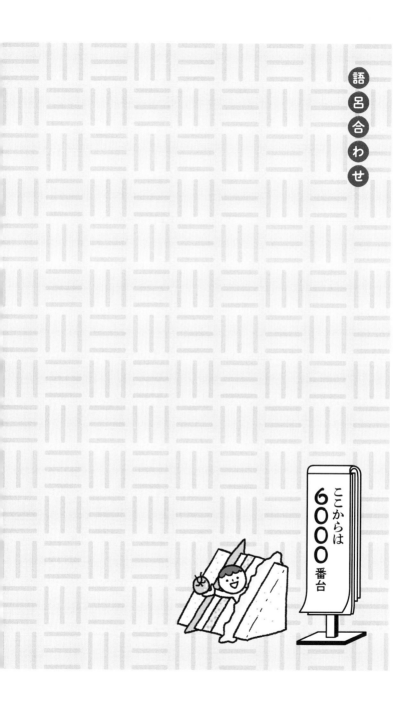

語呂合わせ

ここからは
6000
番台

6017
ムレイナ

無礼な

6031
ローサイ

労災

入っていてよかった!

6031
ローサイ

老妻

元気なうちは働き者、
旦那は定年後は家のごみ!

6050
ローゴハ

老後は?

語呂合わせを楽しもう!

6071
ムレナイ

群れない

一匹オオカミで生きていく

6074
ムレナシ

むれなし

赤ちゃん快適おむつ

6137
ムイミナ

無意味な

そう思ってもすることが大切

6210
ムツト

むっと しないで
怒っちゃだめよ

6237
ロクニミナい

ろくに見ない で
そんなこと言わないで

6249
ムツまジク

睦まじく

夫婦仲良くね!

6253
ロッコーサン

六甲山
兵庫県神戸市にある山

6256
ムツゴロー

ムツゴロウ
有明海の人気者

6263
ムニムサン

無二無三
唯一、他にないもの

6292
ムツクニ

陸奥国
みちのくへ旅行

6340
ムサシマル

武蔵丸

6363
ムサムサ

むさむさ して
心が晴れない

6363
ムザムザ

むざむざ
なすすべもない

6364
ムミムシゅ

無味無臭

6391
ムサクイ

無作為

6401
ムシハイッぴき

虫は1匹

虫は早めに退治しよう！
1匹から数十匹になるから

6409
ムシワク

虫わく
防虫しといて

6411
ムシイイ

蒸し飯
こわめし

6413
ムシエサ

虫餌

カブトムシの餌は樹液

6418
ムシイヤ

虫いや

野菜畑の害虫は駆除しよう

蒸し風呂
サウナでスッキリ！

6426
ムシブロ

6437
ムシサナぎ

虫さなぎ

やがて蛾になる

6447
ムシシナいで

無視しないで!

6464
ムシムシ

ムシムシ 暑い!

日本の夏

6471
ロクにシナイで

ロクにしないで

あきらめるな!

6486
ムシバム

蝕む

6491
ムシクイ

虫食い

大切な洋服に穴が!

6494
ムシクヨー

虫供養
10月10日頃に行われる念仏講

6497
ムヨクナ

無欲な
ところがいい

6517
ムゴイナ

むごいな
市民を巻き込む戦争反対!

6532
ムコサンニ

婿さんに
よろしく!

6548
ロクゴーシャ

6 号 車

6634
ムツムサシ

六つ六指
碁石を使った遊び

6681
ロクジュウロクハイ

66敗

今年の優勝は絶望的！

6683
ムームーヤサン

ムームー屋さん

ハワイアンドレスを
夏の部屋着に

6691
ロクロクビ

ろくろ首

怖い！

6741
ムナシイ

虚しい

6782
ロクナヤツ

ろくな奴

じゃないよね、あいつ

6819
ローヤイク

牢屋行く

悪いことしたらダメ!

6832
ムヤミニ

むやみに
言ってはいけない!

どんな言葉?　よく考えて

6868
ムヤムヤ

むやむや

言ってないで、はっきりして!

6900
ムクワレる

報われる

6910
ムクドリ

むく鳥

6930
ムクミハ

むくみは

取れた?

6931
ロクサイ

6歳

6933
ムキュウサンザン

無給さんざん
割に合わない仕事

6934
ロックミシん

ロックミシン

6974
ロクでナシ

ろくでなし

6989
ロクハク

六博
さいの目

語呂合わせ

ここからは
7000
番台

7003
ナオレミ_ぎ

直れ、右!
整列のときの掛け声

7042
ナヲヨブ

名を呼ぶ
こっちへおいでよ!

7070
ナレナレ_{しい}

馴れ馴れしい
初めて会った人なのに

7071
ナレナイ

慣れない

7072
ナハナニ

名は何?
名前教えて

7090 ナワクレ

縄くれ!

農作業で稲わらを束ねて
天日干し

7101 ナイワイ

ないわい!

何もないからあげられない

7110 ナイトウ

内藤

人名

7112 ナイーブ

ナイーブ

な人です

7116 ナイイロ

無い色

絵の具が足りないから
買ってきて

7123 ナイフサ

ナイフさ

危ないよ

7126
ナイフロ

ない、風呂

今日はお風呂なしでお願い

7129
ナイフク

内服

薬は正しく飲みましょう

7131
ナイサイ

内妻

ずっと一緒に暮らしてます

7140
ナイヨー

内容

7145
ナイシゴと

無い、仕事!

7146
ナエシロ

苗代

7147 ナイシナ	7150 ナイコー
無い品	内向（的）

7152 ナイコニ	7156 ナイコロ
無い子に 差し上げて!	無い頃 空だ!

7159 ナイコク	7171 ナイナイ
内国（国内）	内々 の話 だから誰にも言わないで

7189
ナイヤク

内約

7193
ナエクサ

苗草

7209
ナニワク

浪速区

大阪のランドマーク・
通天閣があるところ

7210
ナニトウ

何党?

僕は甘党

7210
ナットウ

納豆

7214
ナニイシ

何医師?

内科? 外科?

7216
ナニイロ

それは
何色？

7224
ナツフジ

夏藤

7231
ナナジュウニサイ

72 歳

誕生日、おめでとう！

7239
ナツサク

夏作

夏に栽培する野菜は？

7241
ナツかシイ

懐かしい

7256
ナツゴロ

夏頃

7264
ナツムシ

夏虫

7280
シチジハレ

7時(の天気は)晴れ

7283
ナニハサ む

何はさむ？
サンドイッチに

7286
ナニハム

何ハム？

ボンレスハム？ ロースハム？

7289
ナニヤク

何焼く？

肉？ 魚？

7292
ナニクニ

何国？

国の名は？　どこからきたの？

7294
ナニクヨー

何供養？

この神社は
針供養してもらえます

7297
ナニキュウナ

何？　急な

呼び出し

7300
ナミワレ

波割れ

波が砕けた！

7305
シチミワンコ

七味わんこ

わんこそばに
ピリリと七味唐辛子

7329
ナミニクぃ

波憎い

さっぱり釣れない！

7331
ナミサエ

波 さえ

なければいいのに!

7335
ナミとサンゴ

波と珊瑚

夏の海!

7338
ナミサバ

並みサバ

大きくもなく小さくもない

7340
ナザシハ

名指しは

やめて!

7346
ナミヨロ こぶ

波喜ぶ

子どもたちと海水浴!

7351
ナミコイ

波来い!

サーファー喜ぶ

波越え
サーファーたちが
技を競う

7351
ナミコエ

7371
ナサナイ

なさない

これでは意味をなさない、
ダメか!

7373
ナミナミと

なみなみと

晩酌! しあわせ!

7379
ナミナク

波無く

待つサーファー

7388
ナミハヤ

なみはや

7390
シチミクレ

七味くれ

そばに入れたいから
七味唐辛子ある?

7394
ナサにキュウヨー

NASAに急用!

ロケット発射時刻迫る!

7396
ナミだグム
涙ぐむ

7412
ナシジュウニこ
梨12個
出荷用に箱詰め

7469
ナシムク
梨剥く
食べてね!

7474
ナシナシ
なしなし
本当に無いよ!

7479
ナシナクなった
梨無くなった!

7494
ナシクずシ
なしくずし

7504
ナゴりオシい

お別れするのは
名残惜しい

7510
ナコード

仲人
誰に頼む?

7532
ナゴミニ

なごみに(おいでよ!)

遠慮は無用

7582
ナゴヤニ

名古屋に!

金のしゃちほこ名古屋城

7608
ナローオヤに

なろう親に

子どもが欲しい

7634
ナムサンヨ

南無三よ

7642
ナムシニ

菜虫に

大根やかぶの葉を
食べる虫

7649
ナローヨク

なろう、良く

心を入れ替えて

7676
ナムナム

南無南無

お参りしよう

7716
ナナイロ

七色!

きれいな虹が出てる
いいことあるかな

7724
ナナフシ

ななふし

竹節虫

7743
ナナシサン

名無しさん

あなたはだあれ?

7836
ナヤサンロク

納屋山麓

山仕事の道具を収納

7853
ナヤゴミ

納屋ゴミ

納屋に何でもかんでも
入れたらダメ!

7904
ナクレヨ

名くれよ

僕にもあだ名をつけて

7939
ナクサナイ

失くさない

すぐにどこかにやらないで

7974
ナクナヨ

泣くなよ

元気出して!

7979
ナクナク

泣く泣く

語呂合わせ

ここからは
8000
番台

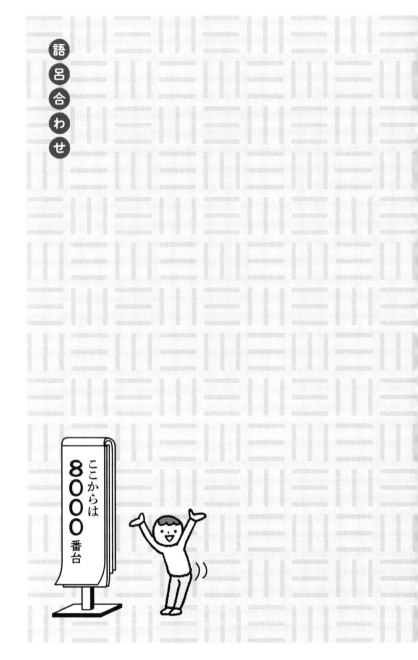

8001
バレーハヒトり

バレーは1 人
ではできない

8002
バレーハフタり

バレーは2 人
だとビーチバレー

8003
バレーハサンにん

バレーは3 人
でレシーブ練習

▼
▼
▼

8006
バレーハロクにん

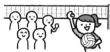

バレーは6 人
試合がんばろう

129

8002
ハチオオジ

八王子

8012
ハワイニ

ハワイに

行ってのんびりしたい

8014
ヤワイヨ

やわいよ

今日のご飯

8051
ハレコイ

晴れ来い

雨ばかりはいや!

8080
ヤレヤレ

やれやれ

やっと終わった草むしり

8080
ハレバレ

晴々した気分

8087
ヤオヤおシチ

八百屋お七

8104
ハイレヨ

入れよ
遠慮しないで

8110
ハイトウ

配当金

入ってラッキー!
ごちそうを食べようかな

8120
ハチイニワ

8位には

入賞できた!
マラソン大会

8123
ヤイニーサン

やい! 兄さん!

8124
ヤイヅシ

焼津市
静岡県の都市

8131
ハイサイ

ハイサイ!
沖縄の方言でのあいさつ

8131
ハイザイ

廃材

8145
ハイシイツ

廃止いつ?
乗客少ない路線

8148
ハイシヤ

歯医者

虫歯の治療は
いくつになってもイヤ

8150
ハイコー

廃校

過疎の村、子どもの数が
減ってとうとう廃校

8152
ハイゴニ

背後に
回って応援して

8171
ハエナイ

生えない
干ばつの影響

8181
ヤイヤイ

やいやい

言わないで!
ちゃんとするから

8181
ハイハイ

はいはい
歩きの赤ちゃん

8190
ハイキュウハ

配給は?
お米と果物

8192
ハイチクニ

ハイチ国
治安悪化が心配な
カリブ海にある共和国

8201
ハニワイッこ

埴輪1個

古代遺跡から出土

8211
ハニイイ

歯にいい

その食べ物は何?

8223
ヤブニらミ

やぶにらみ

8256
ハチジゴロ

8 時 頃

8258
ハチジコヤへ

8時小屋へ

山小屋に集合!

8262
ヤニムニ

やにむに

「やにわに」と「しゃにむに」の
混合語

弾むよ！
リズムにのって

8264
ハズムヨ

8274
ヤジナシ

野次なし

静かに鑑賞しましょう

8318
ヤサイヤ

野菜屋

8328
ハチミツヤ

蜂蜜屋

おいしい蜂蜜の専門店

8330
ハチササレ

蜂刺され

危険！スズメバチ

8338
ハサミヤ

はさみ屋

専門店ならではの品揃え

8345
ヤミシゴと

闇仕事

絶対にしちゃダメ！

8367
ハサムナ

挟むな!

口を挟まないで!

8396
ヤミクロ

闇 黒

真っ暗で真っ黒にしか
見えない!

8425
ハシツーコー

橋通行

通行止め解除

8447
ハヨシナ

早よしな!

もたもたしてると怒られる?
誰に?

8454
ハシゴシャ

はしご車

8490
ハシクレ

箸くれ

箸がないと食べられない

8510
ハコイレ

箱入れ作業

それが済んだら出荷作業

8635
ハムサンコ

ハム3個

お歳暮にはハムの詰め合わせ

8644
ハローヨフォー

波浪予報

8674
ヤムナシ

やむなし

仕方ない

8686
ヤローヤロー

やろー! やろー!

8732
ハナミツ

花 蜜

みつばちたちが集めてくれる

8739
ハナサク

花咲く

春がやってきた!

8740
ハナシヲ

話を 聞いて!

お願いだから

8771
ハナナエ

花苗

庭に植えよう

8782
ヤナヤツ

やな奴!

もう相手にしない

8804
ハヤオシ

早押し

クイズ

8814
ヤバイヨ

やばいよ

8823
ハヤブサ

はやぶさ

東北・北海道新幹線、
上野ー仙台1時間半！

8833
ハヤミミ

早耳

情報が早いね

8843
ハヤシサン

林さん

8856
ハハゴロク

母語録

怖いけどいいこと言ってる

8864
ハハムシ

母無視

反抗期

8874
ハハナシ

母なし

父と子だけでの暮らし

8879
ハハナク

母 泣く

8895
ハハキュウゴ

母救護!

災害から助かってよかった!

8897
ハヤクナ

早くな!

会社に遅刻しそう!

8901
ハクレた1人

はぐれた1人

みんなどこ? ハイキング途中
ではぐれちゃった

8910
ハクトウ

白桃

甘くておいしい

8913
ヤキュウイツサ

野球いつさ?
いつ試合があるの?

8929
ヤクニク

焼く 肉!

8931
ハクサイ

白 菜
漬物がおいしい

8934
ヤキュウミヨ

野球観よ!
夏の全国高校野球大会

8940
ヤクシマル

薬 師 丸
珍しい苗字

8942
ハクシニ

白紙に
してくださいこの話

8942
ヤクシジ

薬師寺

8951
ヤクコイ

役来い!

昇進できるかな?

8953
ヤクゴミ

焼くゴミ

ゴミの焼却炉

8956
ヤキュウゴロ

野球ゴロ

エースの球にヒットなし

8982
ハクバニ

白馬に

乗った王子さま

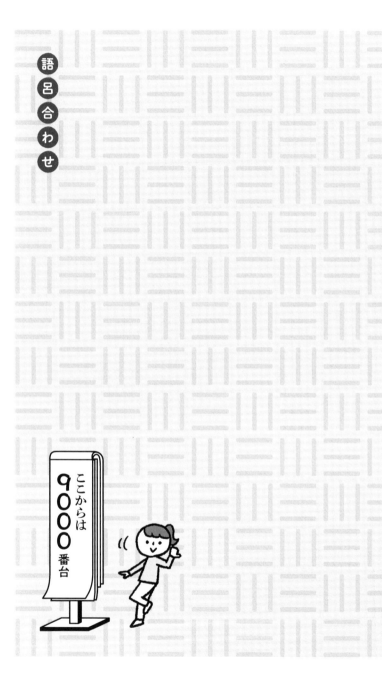

語呂合わせ

ここからは
9000
番台

9009
クオーク

クオーク
素粒子のグループ

9010
キュウジュットウ

90 頭
放牧の牛

9013
クレジュウサンまん

くれ! 13万
今月のバイト代

9036
クレサムい

暮れ寒い!

9044
クレヨシ

暮れよし!
お正月の準備万全!

9056
クレゴロ

暮れ頃
に来る予定

クレームは？
すぐに対応！

9060
クレームハ

9062
クレムツ

暮れ六つ
現代の日暮れ頃

9071
クレナイ

くれない!

欲しい!

9081
クレバイー

来ればいーのに

一緒に遊ぼう

9090
クレクレ

くれくれ!
欲しいよー!

9149
クイヨク

食い良く

今日は良く釣れる

9174
クイナシ

悔いなし!

9244
クツヨシ

靴よし!

いつもピカピカに磨いてます

9274
クニナシ

国 無し

敗戦

9278
クニナヤむ

国 悩 む

国債発行

9280
クニハレ

国晴れ!

全国的に快晴です!

9281
クニハイかい

国徘徊

山下清

9285
クツバコ

靴 箱

9301
クサレイッぽん

腐れ1本

台風による倒木数

9310
クミイレ

組み入れ

9314
クサイヨ

臭いよ!

9316
クサイロ

草色

9317
クサイナ

くさいな!

臭うよ!

9332
クミミズ

汲み水

9349
クミシク

組み敷く
組み伏せる。
相手を倒して押さえつける

9453
クミコミ

組み込み

9371
クサナイ

草無い!
干ばつ

9387
クサバナ

草花

9419
キュウヨイク

急用行く!
なので日を改めてまた!

9421
キュウシニイッしょう

九死に一生

助かってよかった

9434
クシザシ

串刺し

炭火で焼く串刺しの肉!

9452
キュウヨイツ

給与いつ?

待ち遠しいなぁ

9465
クシロコー

釧路港

9474
キュウヨナシ

給与なし?

タダ働きはいやよ

9494
クヨクヨ

くよくよ してても

仕方がない

9519
キュウゴイク

救護行く

すぐに駆け付けます!

9525
キュウコージコ

急行事故

運転見合わせ中

9557
キュウコーコナぃ

急行来ない

各駅停車で帰ろうか

9574
キュウーコーナシ

急行無し!

各駅停車のみ

9581
キュウコーバイ

急 勾 配

9594
クイツクシ

食い尽くし

9613
キュウムイんサン

厩務員さん

いつもありがとう

9616
クロイロ

黒色

9630
クロサワ

黒沢

人名

9640
クロシオ

黒潮

9647
クローシナ

苦労しな

若いうちは

9650
クロコハ

黒子は?

舞台準備OK?

9662
クロムツ

黒むつ
おいしい魚

9671
クローナイ

苦労無い!
だから安心して

9673
クロシチミ

黒 七 味

9678
クムナヤ

汲むなや
そこは汲まなくていいよ

9696
クログロ

黒々 とした髪
きれい!

9711
ココノツナイイ

ここのツナいい!
おいしいね

9712
クナイニ

区内に

9725
キュウナジコ

急な事故

9730
キュウナサワ

急な沢

気を付けて通ろう

9745
キュウナシゴと

急な仕事

で行けなくなった！

9832
クヤミニ

悔やみに

9892
クーハクニ

空白に

9911
ククイエ

九九言え

覚えてる?

9914
キュウキュウイシ

救急医師

いつでも診てくれて安心

9919
キュウキュウイク

救急車が行く!

119番で救急車出動!
年寄りで健脚なのにタクシー
代わりにする使用者が多い!

9932
キュウクミニ

9組に　なりました
当たりくじ

9942
キュウキュウヨブ

救急呼ぶ

緊急要請

9948
キュウキュウシャ

救急車

9972
ココナツ

ココナツ
南国の果実

イラスト　すどうまさゆき

装幀・本文デザイン　山原 望

水本 志郎 みずもと・しろう

1937（昭和12）年、福島県相馬市生まれ。高校の数学教諭を経て、横浜市立中学校で理科、数学の教諭として勤務。定年後は不登校の生徒や学童保育の責任者、ホームセンターでの加工技師、東京個別指導学院の数学講師として勤務してきた。筆名は「つぶやき 三四郎」。趣味は山歩き（67座登頂）と囲碁。

数の語呂合わせ遊びⅡ
1000〜9999
つぶやき三四郎

2023 年 9 月 12 日　第一刷発行

著　　　者　水本志郎
発 行 者　堺 公江
発 行 所　株式会社 講談社エディトリアル
　　　　　　〒112-0013 東京都文京区音羽1-17-18 護国寺SIAビル6F
電　　　話　代表 03-5319-2171　販売 03-6902-1022
印刷・製本　株式会社 新藤慶昌堂

©Shiro Mizumoto 2023, Printed in Japan
ISBN 978-4-86677-132-8

水本志郎の「数の語呂合わせ」第一弾！

元数学教諭の著者が
0から1000までの数字の語呂合わせに挑戦！
脳の活性化、記憶の友に、数字と遊ぶ愉快な一冊。

数の語呂合わせ遊び
つぶやき三四郎

水本志郎

Miramoto Shiro

トンチなら
一休さんにかなわぬが
語呂合わせなら
老輩勝負

講談社エディトリアル

数の語呂合わせ遊び
つぶやき三四郎

定価：本体700円（税別）

講談社エディトリアル